这是我的书
It's MY BOOK
7级：400字

唐伯虎学画

作者：谷文瑞（Raymond
插图：冰河插画（Bing He

北京语言大学出版社
BEIJING LANGUAGE AND CULTURE UNIVERSITY PRESS
PHOENIX TREE
PHOENIX TREE PUBLISHING INC.

识　读　手指 拿来 夸 不断
古代 比 假

句　型　……好像……

字　数　399 字

zhōng guó gǔ dài yǒu gè huà jiā jiào táng bó hǔ
中国古代有个画家叫唐伯虎。
sì suì de shí hou tā yòng shǒu zhǐ zhān shuǐ zài zhuō
四岁的时候，他用手指沾水，在桌
shang huà le yì duǒ méi huā bà ba kàn dào hòu dà
上画了一朵梅花。爸爸看到后大
chī yì jīng huà de zhēn hǎo
吃一惊："画得真好！"

bà ba ná lai zhǐ hé bǐ shuō zài zhè
爸爸拿来纸和笔，说：“在这

shàng miàn huà hua kàn táng bó hǔ huà le yì zhī xiǎo
上面画画看！”唐伯虎画了一只小

jī à zhè zhī xiǎo jī gēn zhēn de yí yàng
鸡。啊！这只小鸡跟真的一样！

táng bó hǔ shí sān suì de shí hou bà ba
唐伯虎十三岁的时候，爸爸
bǎ tā sòng dào yí gè dà huà jiā nà li qù xué huà
把他送到一个大画家那里去学画
huàr tā jìn bù hěn kuài hěn duō rén dōu kuā tā
画儿。他进步很快，很多人都夸他
huà de hǎo tā dé yì qi lai bú zài hǎo hǎo xué
画得好。他得意起来，不再好好学
le tiān tiān qù wài miàn wán
了，天天去外面玩。

lǎo shī kàn tā zhè me zì mǎn hěn shì zháo jí
老师看他这么自满，很是着急，
jiù xiǎng le yí gè zhú yi tā qǐng táng bó hǔ dào
就想了一个主意。他请唐伯虎到
jiā li chī fàn tiān qì hěn rè táng bó hǔ chī de
家里吃饭，天气很热，唐伯虎吃得
yì shēn dà hàn tā kàn jiàn fáng jiān li de mén chuāng
一身大汗。他看见房间里的门窗
dōu guān zhe jiù wèn lǎo shī wǒ kě yǐ kāi chuāng
都关着，就问老师："我可以开窗
ma lǎo shī shuō kě yǐ nǐ qù ba
吗？"老师说："可以，你去吧！"

táng bó hǔ pǎo qu kāi chuāng kě shì dāng tā de
唐伯虎跑去开窗，可是当他的
shǒu mō dào chuāng hu shí tā cái fā xiàn zì jǐ
手摸到"窗户"时，他才发现，自己
mō dào de shì yìng yìng de qiáng tā hěn qí guài zhè
摸到的是硬硬的墙。他很奇怪："这
shì zěn me huí shì
是怎么回事？"

lǎo shī shuō nǐ zài hǎo hǎo kàn kan ba

老师说："你再好好看看吧。"

táng bó hǔ yòu zǐ xì de mō le mō kàn le kàn

唐伯虎又仔细地摸了摸、看了看，

fā xiàn zhè ge chuāng hu shì jiǎ de shì lǎo shī huà chu

发现这个窗户是假的，是老师画出

lai de kě shì yuǎn yuǎn kàn qi lai jiù hǎo xiàng zhēn

来的，可是远远看起来，就好像真

de yí yàng lǎo shī huà de zhēn hǎo a gēn lǎo shī

的一样。老师画得真好啊！跟老师

yì bǐ zì jǐ de huà hái chà de hěn yuǎn ne

一比，自己的画还差得很远呢！

táng bó hǔ zǒu dào lǎo shī shēn biān dī xia tóu
唐伯虎走到老师身边，低下头

shuō duì bu qǐ lǎo shī wǒ zhī dào cuò le
说："对不起，老师！我知道错了。"

hòu lái tā bú duàn nǔ lì zhōng yú chéng le yǒu míng
后来，他不断努力，终于成了有名

de dà huà jiā rén men dōu shuō tā de huà jiù xiàng
的大画家。人们都说，他的画就像

zhēn de yí yàng kàn tā de huà nǐ huì jué de huà
真的一样！看他的画，你会觉得画

shang de chóng huì pá chán huì jiào niǎo huì fēi
上的虫会爬、蝉会叫、鸟会飞。

1 中国古代有个画家叫唐伯虎。四岁的时候，他用手指沾水，在桌上画了一朵梅花。爸爸看到后大吃一惊："画得真好！"

2 爸爸拿来纸和笔，说："在这上面画画看！"唐伯虎画了一只小鸡。啊！这只小鸡跟真的一样！

3 唐伯虎十三岁的时候，爸爸把他送到一个大画家那里去学画画儿。他进步很快，很多人都夸他画得好。他得意起来，不再好好学了，天天去外面玩。

4 老师看他这么自满，很是着急，就想了一个主意。他请唐伯虎到家里吃饭，天气很热，唐伯虎吃得一身大汗。他看见房间里的门窗都关着，就问老师："我可以开窗吗？"老师说："可以，你去吧！"

5 唐伯虎跑去开窗，可是当他的手摸到"窗户"时，他才发现，自己摸到的是硬硬的墙。他很奇怪："这是怎么回事？"

6 老师说："你再好好看看吧。"唐伯虎又仔细地摸了摸、看了看，发现这个窗户是假的，是老师画出来的，可是远远看起来，就好像真的一样。老师画得真好啊！跟老师一比，自己的画还差得很远呢！

7 唐伯虎走到老师身边，低下头说："对不起，老师！我知道错了。"后来，他不断努力，终于成了有名的大画家。人们都说，他的画就像真的一样！看他的画，你会觉得画上的虫会爬、蝉会叫、鸟会飞。

看图讲故事